中国风水第一城阆中古城,位于四川北部,嘉陵江中游。是人祖伏羲的孕育之地,城内有风水馆、张飞庙、贡院、天宫院、华光楼等著名景点。她与丽江古城、平遥古城、凤凰古城齐名。是中国颇具特色的旅游胜地。

阆苑仙境话生肖

摄影 潘明清

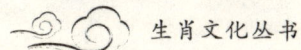
生肖文化丛书

生肖你我她

SHENGXIAO NI WO TA 张瀚文 罗修德 著

解读你的运程
解读我的团队
解读她的姻缘

三秦出版社

图书在版编目（CIP）数据

阆苑仙境话生肖/张继军，罗修德著. —西安：三秦出版社，2009.9

（生肖文化丛书）

ISBN 978-7-80736-695-9

Ⅰ.阆... Ⅱ.①张... ②罗... Ⅲ.十二生肖-通俗读物 Ⅳ.K892.21-49

中国版本图书馆CIP数据核字（2009）第168388号

生肖文化丛书
生肖你我她——阆苑仙境话生肖

张继军　罗修德　著

出版发行	三秦出版社
	新华书店经销
社　　址	西安市北大街147号
发行电话	（029）87205106
垂询电话	（0817）6225777
邮政编码	710003
印　　刷	蓝田立新印务有限公司
开　　本	720×1000　1/32
印　　张	36
字　　数	66千字
版　　次	2009年12月第2版
	2009年12月第1次印刷
印　　数	7001-12500套
标准书号	ISBN 978-7-80736-695-9
单册定价	6.50元
全套定价	78.00元
网　　址	WWW.sqcbs.com

引 言

盛唐双奇袁天罡、李淳风晚年退隐于被称为人间仙境的四川阆中，常常一起谈风论水推测后世，并遗存有大量的天象和风水方面的书籍，尤以《推背图》久负盛名。这套小书是风水馆张瀚文馆长和罗修德风水大师根据这些遗存，经过多年的研究编写而成的。

阴历是世界上流传最久的历法。黄帝在位61年时，产生了一道十二官历法的首轮称为甲子，每一甲子为期60年，由5个分期构成，每个分期12年，我们称为五子运。每一年都以一个"动物符"作标记，我们称之为生肖。关于十二生肖源于何时及其排列，有各种传说，至今难以细考。这类故事，或似开心解闷的笑谈，或似贬恶扬善的寓言，文学成分较浓。

古代也有这样的传说，玉皇大帝99岁寿辰时，王母娘娘在阆苑仙境为他举行盛大的宴会，天上人间各路神仙纷纷前来贺寿，最先到来的动物神是老鼠，接着是牛、虎、兔、龙、蛇、马、羊、猴、鸡、狗、猪。玉皇大帝就按这些动物到来的先后顺序分别封以不同的年号，配以不同的时辰，作为对它们的赏赐。从此，"鼠咬天开"后的小老鼠就幸运地坐上了十二生肖的头把交椅，新一轮的五子运也从鼠年开始了。

代表生肖的动物符分别与自然界中的木、火、土、金、水五行相对应。五行又按磁场的正负极分为两极，即中国人所谓的阴和阳。

在阴历中，每天分为12更，每种动物符代表1更，昼始于子夜11时。阴历中的动物符对人的影响也是十分强烈的。属相中的12种动物分为阴阳两类。鼠、虎、龙、马、猴、狗属阳性,牛、兔、蛇、羊、鸡、猪属阴性。

12种动物属相除了其表示年的五行外,还有其固定的五行与季节对应。猪、鼠、牛为冬天,方位北方,季节色为蓝色,五行属水;虎、兔、龙为春天,方位东方,季节色为绿色,五行属木;蛇、马、羊为夏天,方位南方,季节色为红色,五行属火;猴、鸡、狗为秋天,方位西方,季节色为黄色,五行属金。

古代圣贤说,土生万物,因为它是金、木、水、火四行合一的象征,便不能与十二属相中任何动物相对应。有些算命人士指土为本行,从而以牛代水、龙代木、羊代火、狗代金。

在没有现代方法观测气象的时代,中国人便利用了阴历来预测雨雪到来的季节。时至今日,人们仍然相信阴历的真实可靠性。人们会发现,如果某年五行标志为水,那么这一年很可能会发生决堤或洪灾,这取决于阴阳两极哪个的影响力更强些。

你也许会对春季的第一天感兴趣,皇历中谈到,这一天鸡生的蛋能立起来,请你不妨试一试。如果有缘,你会见证的。阴历中春季到来的这一天称为"立春",通常是阳历2月4日或5日。阴历节气是变化无常的,某些阴历年中也许会出现两次立春的情况,而某些阴历年根本不存在立春。中国的占卜者们称无立春之年为"盲年",因为人们"看"不到春季的第一天。因此,在这样的年份里是忌讳娶亲的。

在这本小书中,你会发现、知晓深藏于你内心和他人内心深处的秘密。这样,你不仅会了解自己,而且还会知道你个人与事业的关系,知晓生活中会发生的事情。

同时这本小书能帮助你从另外一个角度观察自己,观察你宜与周围哪些人组成最好的朋友或团队,观察宜与哪个属相的人与你结合的婚姻是幸福美满的。它会使你理解主宰你的"狗"为什么会偶尔让你表现出急躁,属马的人易变、不安静特点的由来,以及为什么属龙的朋友会盛气凌人、花钱讲排场,还有蛇年出生的人为什么会有多疑的性格。你也许会吃惊地发现,有些工匠善于修理各种各样的东西,是因为他们出生于使他们聪明智慧的猴年。另外你还会看到那些动作迟缓、自信甚至保守的银行家们多是出生在充满自信的牛年。

也许这本书能让你进入理解命运和造化的神秘之门,甚至可以帮你作出重大决定。人生路上你会倾听蛇的机敏语言、寻求羊的温柔与同情心、获得猴的聪明智慧、共享马的快乐、欣赏兔的善交能力、用狗的忠诚交朋友、依靠虎的热情点燃生命之火、以鼠的勇于进取去完成伟业……

愿《生肖你我她》成为你为人处世的指南、美满婚姻的处方、幸福生活的源泉。

春

生肖\五子運	鼠	牛	虎	兔	龍	蛇	馬	羊	猴	雞	狗	豬
水運	甲子	乙丑	丙寅	丁卯	戊辰	己巳	庚午	辛未	壬申	癸酉	甲戌	乙亥
火運	丙子	丁丑	戊寅	己卯	庚辰	辛巳	壬午	癸未	甲申	乙酉	丙戌	丁亥
木運	戊子	己丑	庚寅	辛卯	壬辰	癸巳	甲午	乙未	丙申	丁酉	戊戌	己亥
金運	庚子	辛丑	壬寅	癸卯	甲辰	乙巳	丙午	丁未	戊申	己酉	庚戌	辛亥
土運	壬子	癸丑	甲寅	乙卯	丙辰	丁巳	戊午	己未	庚申	辛酉	壬戌	癸亥

冬　　夏

秋

目 录

末　羊	1
羊　年	3
属羊人的性格	5
属羊的儿童	11
属羊人的起名	14
属羊人的五种类型	16
属羊人与时辰的对应关系	22
属羊人在其他生肖年中的运程	35
属羊人生月趣解	48
属羊人生日趣解	52
属羊人的姻缘	59
吉祥四季　平安一生	84
阆中风水博物馆	86

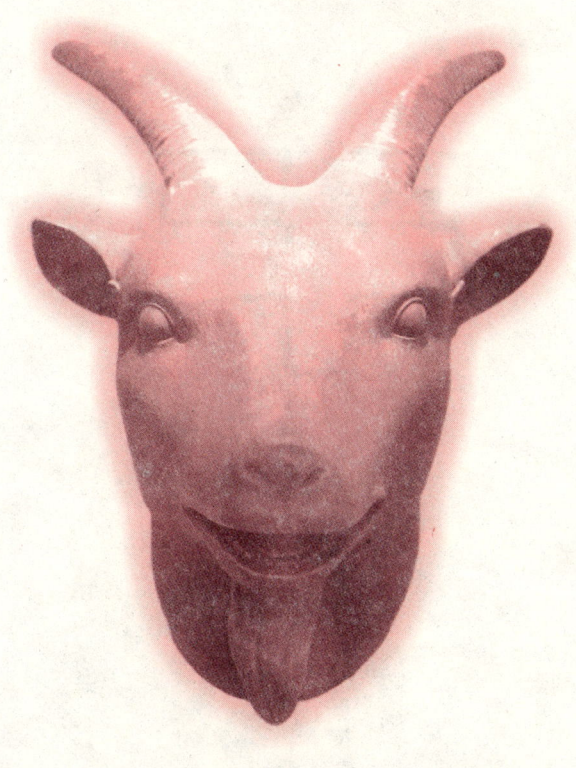

未 羊

(圆明园十二生肖铜兽首)

依偎着大自然
大自然给我以抚慰
命运女神对我微笑
我是自然的宠儿
我用我的温情
引得百花竞相开放
我窥视万物内在的美
成就我温文尔雅的面孔
潇洒风度的身段
我是——羊

羊年

你我她

　　羊年是继生气勃勃的马年之后一个平稳的年头。这一年益于人们休养生息。这一年里，事情发展平缓，人们发现自己更为细腻多情。羊年会使人们更靠近、依赖家庭。人们会更加注意身边发生的事情，对于时间与金钱也不像以前考虑那么多。

　　这一年是艺术之年，它会使人们勃发内在的创造力，在艺术美的探索中丰富人们的想象力。羊年有种悲观厌世的情绪影响着人们，使人过分敏感，对一件小事也会产生烦躁不安的现象。人们在事业及工作中，稍不随意便会泄气或吹毛求疵。

　　在国际间，争端很少，是和平外交的有利时机；是平稳、克制的一年。非常宜于广交朋友、外出旅行，或潜心于艺术研究、古董赏玩。但要捂紧你的钱口袋,你会在这一年的超支消费中失去钱财。

属羊人的性格友好遵循与人为善、和平共处的原则,会使这一年很多地区动乱得以平息或缓解。到处都可见到和平景象。战争、国际争端及纠纷将会在羊年结束。

羊年带来的万象平和的气氛使事物发展速度变慢。那些其他属相好动的人们,在这年切记不要匆匆地行事。这一年是自我反省的一年。

属羊人的性格

在中国人的心中，羊是最富温情的属相。出生在这一年的人被称为乐善好施者。他们往往为人正直、亲切，易被别人的不幸经历所感染。他们脾气温顺甚至有些羞怯。当他们的各方面都处于高潮时，往往是风度优雅的艺术家或有创造性的工人，而当他们的事业及其他方面处在低潮时，则是多愁善感甚至悲观厌世。

属羊人常因举止优雅，对人富有同情心而被人称道，他们能轻易谅解别人的过错，理解别人的难处。他们不喜欢十分严格的约束，不能严格要求自己，对人也很少加以批评。他们喜欢儿童和小动物，是个自然主义者。他们很会理家。尽管他们性情温和，不善于反抗，但在一定压力下要求他们要做的事也是不可能做成的。

生肖 你我她

据说生于羊年冬季的人一生中能遇到多种坎坷，因为冬季对羊来说是一个无食季节，在这个季节羊会挨饿。但无论属羊人陷入何种逆境，始终不为生活必须的条件发愁，人们会在他受难时，加倍关心他。羊的属相排在第八位，对中国人来说"八"是繁荣的象征。

属羊人遇事转弯抹角的态度会使其他的人感到讨厌和恼火，但没有办法，这就是属羊人的脾气。

属羊的年轻妇女喜爱讲究，服装爱用褶边装饰。他们会花很长的时间化妆打扮自己，以显示自己的漂亮。她们举止高雅，每日清晨都在自己的房间摆上一束花，增强自己年轻的朝气。属羊的中年妇女清洁成癖，十分注重个人卫生，讲究处处干净、整洁，他们把自己的孩子打扮得干干净净、漂漂亮亮，就像是要送出去展览的样子。他们挑选服装及身上的佩戴物都很讲究无懈可击。

她们精通材料选择、设计橱窗、布置舞

台。每当她们自发地出现在这些场合，所有的一切都会得到精心巧妙的安排，她们在解决这类问题时总能克服一切困难。

属羊的姑娘会坦诚地表示出她所喜欢的人的感情，她会天天陪伴着他，把他当成自己最可信赖的人。如果她不喜欢你，那么我衷心地劝告您不要埋怨她，她也只能不理睬你，而不像属牛属龙的姑娘那样手持木棒把你赶出去。如果她对你中意，也只是握握你的手，因为她认为卖弄做作就是"勾引"。她讲话不明，"是"也许意味着"不是"，而她所表示的"不"就是"可以"的意思。假如你是头戴盔帽的骑士想去赢得美丽姑娘的爱，那么你必须先经过一番较量，来证实你是否有能力获得她的爱。

属羊人从不破坏自己与友人之间的关系，他们最多就是采取不参与活动的方式避免纷争，以免事后落得埋怨。他们感觉敏锐，与人相处多是君子之交，更多的时候是陶醉于多愁善感的幻想中。

属羊人渴望吸引人们的注意力，对他们的

能力与特长的赞赏会使他们心花怒放。属羊人应该从事那些能发挥自己特长的工作。在审美方面，他们有高雅的欣赏能力。如果要给属羊人一句忠告，那就是不要挥金如土，多从事实践活动。

属羊人若不是出生在龙支配的辰时、蛇支配的巳时和虎支配的寅时，那么他不易做要求责任心很强的工作或快速决断的工作。他们只能在自己的秉性支配下，干那些奉公守法但没有更多要求的活儿。

属羊人一生需要一个强壮、忠诚的人为伴，思想外露、激情充沛的属马人以及与属羊人秉性能产生平衡的属蛇、龙、猴、鸡的人都会相安共处，和谐一致。

属鼠人会讨厌属羊人的大手大脚、花钱如流水的作风以及缺乏自信和懦弱本性。属羊人在性格稳健的属牛人和好动不好静的属狗人那里也得不到同情、理解和快乐，因为"牛"与"狗"都没有听"羊"絮絮叨叨使人怜悯之言的耐性。

属羊的儿童

你我她

　　出生羊年的孩子性情温顺，是父母的掌上明珠。他们往往因过分宠爱而无顾忌地把房间弄得乱糟糟。由于对艺术的敏感和对美的喜爱，他们愿意听音乐，喜欢诗歌，喜欢洗澡时四周飘散香皂的芳香气味。他们遇到事情不喜欢自己动手，喜欢在人前表现得柔弱、谦恭。

　　他讨厌别人取笑他。如果在学校受到严厉的批评或同学们欺负，他就不会愿意在这所学校继续读下去。他愿意交一些身强力壮的同学为友，求得庇护。每当情绪消沉，他需要大量的安抚和同情的话来使他重新振作。他的好幻想和易受惊吓的特点使他容易生病。

　　如果属羊的孩子在家里受到优厚的待遇，他是不会轻易离开家的。他喜欢穿戴整齐，安排事情层次分明，当他决定收拾、布置自己的小房间时，他会将他的小世界摆弄的井井有条。他性格中的谦恭和耐性与情绪多变的特点达到平衡。

取名宜有"金""白""仆"字，学识渊博，操守廉正，重义信用，富贵增荣；有"月""田""豆""米"字，勤俭建业，名利双收，安享清福；有"马""禾""木""亻""鱼"字，英俊人才，多才巧智，温和贤淑，克己助人；有"忄""犭""纟"字，忧心劳神或不利家庭；有"车""氵""山""曰""火"字，不利家庭或健康，忌车怕水。

属羊人的五种类型

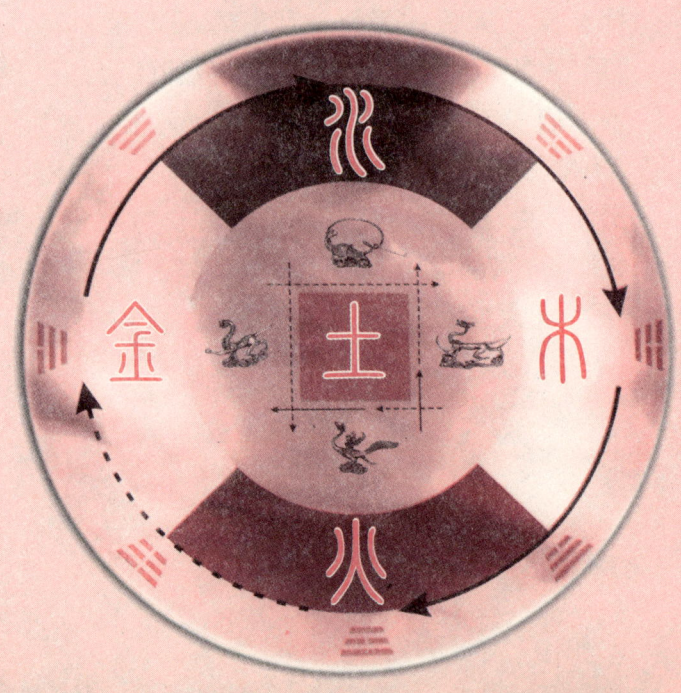

金羊——1931年 1991年 2051年

这年出生的属羊人对自己信心十足，深知自己的能力和价值。他们凭着极强的敏感，在每次活动中出现在最前面，以显示自己的力量和富有，而他们的力量并无坚实的基础。

当他出生时辰遇到金，会增加他对艺术美的喜爱，促进他不断地潜心研究在各种事物中存在的美。他的房子的装饰就是优美的杰作。

这种类型的属羊人追求家庭经济，怀疑对外投资的保险性。他所提供的服务项目收费昂贵，尽管他也不反对不时地给人们提供免费餐券。

他们的社交范围局限在他感兴趣或对他有利可图的人中间，他往往是看准了这些人的事业已有大进展后才介入他们中间。

在他们镇定自若，总有外在援助的优越性背后，还是隐藏着一些不稳定因素，使他们有时会改变温和友好的性情，对别人产生嫉妒心，拼命维护自己的利益。

水羊——1943年　2003年　2063年

这类人对别人有绝对的吸引力，他们身边总有不少人照顾、维护着他们，一旦需要，他们能立即招来一个大队前来相助。

他们谈吐文明，但知识并不丰富，性情温顺但也不会随意受人摆布。一旦他们生辰与"水"相遇，他们的反抗精神会得到加强。一般情况下，他们的性格易被人支配，遇事会随着那些对他们有影响的人的意志行事。他们害怕自己的生活方式发生变化，不大愿意冒险。

尽管他们性格不是很强硬，但他们的内心还是存在着反抗的因素，一旦感到被压抑而不能容忍时，他们也会不顾一切同别人展开较量的。

木羊——1955年　2015年　2075年

　　这一年出生的人是思想活跃、说话幽默的类型，他们举止安详、善于思考、思维敏捷、有奋斗精神。因为以"木"为本，所以不会有轻浮的举止。他们慷慨大度，做事严谨，为人庄重，对自己要求严格。

　　他们十分信任、依赖他们认为可信的人。他们相信人幼稚到甚至不惜自己生命的程度，可以做出完全不必要的自我牺牲的行动来。尽管他们十分清楚自己潜在的价值，但个人甘心受他人支配，因此与人保持一团和气。

　　他们乐意照顾别人并为别人做出牺牲，他们会收留那些不幸的人，而且会因帮助那些不幸者而陷入困境。

　　但是，他们的善举和怜悯心总会得到报答，当他们需要钱财时会得到大量援助。

火羊——1907年 1967年 2027年

这一年出生的人自信心强,做事有一种来自内心的勇气,并将这种勇气体现在他的工作中,只是不够扎实,创造性也总体现在华而不实的表面上,而不能真正坐下来搞实实在在的研究与发明,写文章也总追求内容空乏而辞藻华丽的东西。

他们尽可能地为自己营造一个稳定的家庭,因为从小就受溺爱,他们渴求永远有一个自己的安乐窝。他们在经济上很富裕,不大注意掌握自己的经济。

"火"使他们精力充沛,但易怒,一旦惹恼他,他会大喊大叫。他有时风度优雅,有时又不能镇定,好感情用事,而不是以理服人。

土羊——1919年 1979年 2039年

这类属羊人天性乐观，有很强的独立性。尽管他们对家庭成员忠诚、关怀，但不妨碍他们要求在某种程度上的独立。

"土"使他们性格中多有保守，小心谨慎、从不乱花钱，但并非财迷。作为属羊人的成员所共有的爱豪华特点，他们也未必能独树一帜，别人认为奢华的东西，在他眼里是必备品。

他们是做事严肃的人，不但工作中严肃负责，而娱乐活动也很认真，他们也喜欢帮助朋友，对别人的困境不会熟视无睹。

尽管他们情绪稳定，情感外露，但受到批评时往往表现出强烈的自我辩护甚至神经质。

属羊人与时辰的对应关系

子时出生（鼠时辰）
——午夜 11 时至凌晨 1 时

羊鼠相遇使人灵巧、敏感、自我放任，
但很幸运。
鼠又可协助羊增强独立性。

丑时出生（牛时辰）
——凌晨1时至3时

兼有羊的楚楚动人与牛的粗鲁而朴实的特点。

恪守时间，

保守性强。

做事爱我行我素。

寅时出生(虎时辰)
——凌晨3时至5时

在虎的影响下,
羊的性格精明、圆滑又鲁莽。
创造性强,
有革新精神,
舞台表演能力强。
但坏脾气使他易激动。
交友不够可靠。

卯时出生（兔时辰）

——早晨 5 时至 7 时

羊兔结合，

聪明、谦逊，但缺少慈悲心，

工作干得不能使人感到非常出色，

不愿参加更多的活动。

辰时出生（龙时辰）
——早晨7时至9时

龙羊的结合带来的勇气和坚定的意志，极大地鼓舞他们将自己的计划付诸实践。但仍需更加明晰的鉴别力。

巳时出生（蛇时辰）
——上午9时至11时

蛇使羊自信、
有竞争意识、
有主见、
做事有条不紊，
既精明又含蓄。

午时出生（马时辰）
——上午11时至下午1时

性格好动、善于表达、举止高雅，
马支配着沉稳的羊去寻找钱财，
而羊懂得更多的是如何施舍这些钱财。

未时出生（羊时辰）

——下午1时至3时

羊又遇羊，

忠于职守，

但在许多事情上总是依附于人。

也喜欢别人为自己服务，

尽管有不少难处，

但基本上是一个优柔寡断没有见地的人。

申时出生(猴时辰)
——下午3时至5时

猴使羊增添了积极参加活动的热情,
增强了他的自信,
具备了猴的活泼乐观的特点。
喜欢看事物好的一面,
遇事爱讨价还价。

酉时出生（鸡时辰）
——下午5时至7时

羊的依赖性同鸡的活跃思维结合

毫无疑问会更聪明，

具有良好品质，

重精神而轻物质利益。

但在生活上要靠别人支配。

戌时出生（狗时辰）
——晚7时至9时

此时出生的属羊人思维活跃、敏感，

还有狗赋予他的坚定，

使他能正视现实，

不轻易掉眼泪或自我怜悯。

亥时出生（猪时辰）

——晚9时至11时

爱抱怨，

常哭诉自己的难处。

可喜的是，

强健乐观的猪能使他最终度过困境，

不陷入绝望之中。

属羊人在其他生肖年中的运程

鼠 年

这一年对属羊人来说是极为有利的一年。

能参加诸如猜奖、赛马等活动,

意想不到地获得钱财和礼物。

在这一年会得到生意成功的机会。

家庭在这一年平安无事,

在各方面都不会遇到棘手问题,

身体也健康。

牛　年

牛年对属羊人来说是经济上极其艰难的一年。
这一年中他的亲属朋友不断向他索取东西，
和他发生争执，
产生误解。
这一年各种额外款项的支出会使他经济窘迫。
除了缩衣节食，
这一年很难有其他方面的经济来源。

虎 年

这是一个有喜有忧的年头。
属羊人在这一年中会获得勇气和力量,
但仍需艰苦奋斗。
家庭生活会平缓,
麻烦来自亲戚间。
这一年的工作会非常紧张,
但可以遇到有利的机运。

兔 年

羊在兔年平平淡淡。
经济消费主要用在零敲碎打、
购小物品上。
在这一年中要为家庭遗留下来的不和
而烦恼。
在这年会因事故受伤，
但一年收入的增加会持平甚至
高于损失的部分。

龙　年

对属羊人来说，
龙年是令人兴奋而又紧张的一年。
虽然在这一年遇到不少纷争和经济拮据，
但没有大的灾祸。
属羊人在这一年里很难积累资金。
如果在这一年中不赌博，
对自己的生活做大的变更，
那么还是能够令人钦佩地摆脱困境。

蛇 年

这一年是属羊人的吉利年。
属羊人会在这一年中增强活动、提高地位，
并且出人头地。
有影响的人物会帮助他。
在这一年会收到额外的钱财。
坏习惯会在这一年偶尔出现，
影响他的进步，
然而目标最终会在这一年实现。

马 年

是羊平安无事的一年。

无论是家中还是工作上都不会遇到大问题，

即使遇到一些前进路上的小麻烦和障碍，

也不会费力就得到解决。

这一年他会患伤口感染类的小病。

总之，

这一年是繁荣的一年。

不过也许会有以前发生过的麻烦来重新打扰他。

羊　年

是个不大吉利的年头。
这一年会以充满生机和希望开始，
属羊人制定他的发展计划，
并会受到很多邀请。
但随之而来的便是纷杂的矛盾和棘手的问题。
收入在这一年会急剧下降。
总之，
这一年宜少说多做。

猴　年

是属羊人的吉祥年。

他会非常积极主动地在这个创造年

繁忙地工作。

这一年很少碰到难题，

健康状况良好。

鸡 年

是充满娱乐气氛、
花销大的一年。
属羊人在这一年中支出比收入多。
在家庭经济问题上遇到困难。
这一年最需要注意的是自己的经济开支。

狗 年

是属羊人苦恼的一年。
在这一年中不得不处理各种
令人不快的事情,
要支付债务,
还会遇到男女关系问题及家庭纠葛。
这一年做投资生意和出门旅行都不利。
在这一年应采取收敛、
保守的做法。

猪 年

是令人比较烦恼的一年。

属羊人刚刚由上一年的倒霉事中摆脱出来，

地位还不稳定，

由于对朋友、

同事还存有戒心，

精神仍较紧张。

在这一年中不大过问家事，

精力集中在怎样集资以弥补上一年遭受的损失上。

属羊人生月趣解

生于正月

三羊开泰，活泼聪敏，个性乐观开朗，但依赖性较强，不肯创新，是因人成事的人。但爱好交朋友，又乐于助人，一生不喜积蓄，生活有时会捉襟见肘，幸而能逢凶化吉，容易度过难关。

生于二月

秉性温和，处事有方，态度不卑不亢，有正义感，心直口快，颇受朋友信赖，有经营的头脑，是社会上吃得开之人，早年得志。缺点是过于自信，容易被别人暗中破坏，家庭幸福。

生于三月

敏捷过人，是一个诚实而勤勉的人，稳步向前，一生中有不劳而获的幸运，老成持重，不喜与人交际，尤不喜欢与异性来往，给人一种不近人情的感觉，家庭幸福。

生于四月

喜欢独个儿的清静生活，不与人竞争，但领悟力颇强。早年得大贵人相助，功成名就，生活颇感悠闲，家庭生活也有良好气氛，妻贤子孝。

生于五月

财丰利足，权力较高。对人有种温闻尔雅的情感，甚得异性喜欢，感情不专，三心二意，故常受到爱情的困扰，但交际是成功的，社会地位不差，家庭纠纷和口角常有。

生于六月

热心忠直，众人崇拜，手段圆滑。善交际，任何阶层都有朋友。在八面玲珑、交友众多的情况下，事业亦有多方面的成就。热心公益，是很好的慈善家，对社会福利有很大的帮助。

生于七月

自信清高，高雅脱俗，才气横溢，是文人雅士之流。但在工商界则较难舒展，若能在文学领域从事创作会有所建树。家庭运气良好，子女孝顺。

生于八月

有高度的忍耐力，处事冷静有头脑，是不可多得之幕后人才，是显贵人物的得力助手，可惜易招口角是非、小人暗算。家庭安康。

生于九月

根基浅弱，有不得志的时候，凡事喜欢怨天尤人，又不肯向现实低头，较脱离群众。幸有天生财运，生活不至贫困。家庭得贤内之助，虽常常意见不同，但仍有幸福快乐。

生于十月

个性保守，冲劲不足，难以创造新的环境，只是随波逐流，未来是可以渐渐提升的，但遇上对手，竞争难有胜算，处于平和宁静之中。家庭必得幸福。

生于十一月

精力过人，可以日以继夜的辛勤工作，故其成功是自然的，但人际关系则处理得并不愉快，时常受到小人攻击，招惹无端之灾。慎防异性捆扰。

生于十二月

寸步难行，前途渺茫，困难重重，时时受人严守，行动无自由。坚持到底，奋斗终身，晚年必得福。

属羊人生日趣解

生于初一

坎坷多见、波澜多见，由于意志坚定，上进心强，不屈不挠，善于智谋，能知难而进凌驾万难，终成当今风云人物。印显之命。

生于初二

男女皆属初显不佳，败多成少，温饱勉强。中年可达成功之数，晚年不好，如不为慎，有遭攻击诽谤之灾以至损名伤誉。

生于初三

男士大有不祥，一生多风雨，困难时见。女士胜男士，先难后易，终得安稳。寿长之命。

生于初四

事业遂心，不劳不累婚姻极佳，男招好妻，得助发家，女配好夫门风端正，财禄不短。是幸福平安之命。

生于初五

喜忧参半，幼年较好，青年多劳，三十五岁过去，是开运之期，但事业仍有成有败，财利可得，家境平稳，晚年富昌。

生于初六

天赐一表人才，性善而坚定，上进心强，

读书有成,能出人头地。
生于初七
男女温和,能与人建立友好关系,邻居和睦,一生财运较好,比上不足比下有余。无灾无险,平安之命。
生于初八
男士个性刚强,意气用事,自信、自尊心强,使人敬而远之;女与男相反,天性温和、待人和气。寿长年高,属吉命。
生于初九
头脑冷静,上进心强,时有身体不健,如生时占吉运,可保后半生衣食足用,安稳的小康之家。
生于初十
男女都很出众,读书之才,必将有用武之地来展才华,持之以恒,定能如意,名利双收,出人头地。发达之命。
生于十一
男士性情豪爽侠义,好打不平,助人为乐,受人尊敬,半世昌盛命;女士文静稳重,能吃苦,持家心强。贤妻良母之命。

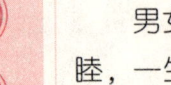

生于十二

命带上吉，伴有官相，有气质、有才能，可成一方之领导，初显较为平淡，中年后可达成就，家势兴旺，终能显赫。

生于十三

女士胜男士，可算吉祥，品貌端正，才艺出众，能有收获，荣光一生；男士劳累，中年取财，终无大富。属不穷之命。

生于十四

男女初显多劳，坎坷多见，过三十岁后见云开日出，进入光明坦途，男得好妇，女配好夫，财兴利旺，多福寿长。

生于十五

命带官有权有势，易树敌起起落落；女士平稳，助夫得福，功成业就。贤德之命。

生于十六

男士聪明理智，能判断正邪善恶，但为人高傲，一生孤掌难鸣，平淡一生；女士善良温厚，人缘佳，禄不缺。福分之命。

生于十七

男士天赋胆力、才力、智力，德才兼备，一生多利多收；女士美貌，喜贪图享受，桃花

运得，浮华虚伪，多嫁多得之命。

生于十八

男士性格多变，虽多才多艺但无一精，这山望见那山高，可财运不低，一生不穷；女士贤淑，心善好施，进一尺还一丈。

生于十九

虚荣心高，外观富有内里虚，犹如雨夜之花。为人实在，说话算数，性格活泼。

生于二十

男女皆吉，男士聪明女士心善，上进心强，重意气，知恩图报，不爱欠人情，中年后百事顺达，荣盛运。一生无亏之命。

生于二十一

不占吉运，虽有真才实学，但无用武之地，怨天尤人，终难如愿，以致心情忧郁易得病患。

生于二十二

一生坎坷，运途艰难，求助无门，但命不该绝，大难完后，能有吉运，发达兴隆。无亏之命。

生于二十三

初显艰难，恐要交生死悠关的双雄，如能

冲破此坎运，可逢凶化吉，吉运旺时，名利可得。昌盛之命。

生于二十四

积祖荫厚重，可得父母之基业，遇贵人提拔，青云平步，事业高就财兴旺。家势昌隆，钱财富有，清闲享福。寿之年高。

生于二十五

男女属上吉，诗赋才华出众，为人处事八面玲珑，正直无私，受人尊敬，无忧无险，安稳一生。福分之命。

生于二十六

喜忧参半，事业顺心，家事烦心，夫妻不和，如委屈求全，可安之。烦心之命。

生于二十七

男女都犯桃花，一生喜好花街柳巷、多姿多彩，喜烟好洒。但运旺，大钱不进小钱不断，生时若不吉，老景多病。处世难之命。

生于二十八

男士精力旺盛，智慧，做事果断刚毅，有独立之才能；女士心软，有忍耐力，有忍辱负重精神。操心命格。

生于二十九

男女命有吉运,天地人三合局面,一生兴家。初显虽平,但中年后可立业成大富,如不过分大意,一生不至于失败。

生于三十

男女皆上吉,有天赋之大吉运,有劳无累,财利有进,命在兴家,昌荣半世,妻贤子孝满门吉安。是富贵寿长之命。

属羊人的姻缘

古人认为，寰形相克图（下图）两端直接对应的属相是排斥的。

天　　　　　　　　　　地

和　　　　　　　　　　谐

羊+鼠

两人很有魅力,并热情、纤弱,但其共同点仅此而已。她的点子很多,爱寻根究底,工作努力。羊先生与他勤奋的配偶相比,就可能显得太漫不经心。她节省和珍惜钱财,他却在心血来潮时铺张浪费。她总是机警、实际和清醒的。他有创造性,但感情用事,有时消极等待。她被惹恼时会很琐碎很挑剔。他觉得她心中太有数,无法与之交流。在这种结合里两个成员不易相互了解,所以彼此予取不多。

羊+牛

羊先生是悠然自得的艺术型人。他高兴时会活得津津有味。牛太太持家尽责,对家里人照顾得很好,但他不愿满足她那些不切实际的放纵要求。他需要在爱和赞许之下才能发挥他的长处。她期望一切有条不紊,常会对他发布命令。她坚定不移,毫不妥协,认定要对时间和精力作最佳使用。而他是艺术型的,需要等待最佳状态降临到头上。他对她的软弱作风很严厉和不耐烦。他对别人的管制和摆布也一味抵触。双方需要作出巨大改变才能够和平共处。

羊+虎

羊丈夫是家庭型的人,需要温情和了解。虎太太喜怒无常,不循常规。他很容易被她那些突如其来的发作和戏剧性的表演所伤害。他彬彬有礼,需要家庭宁静舒适,但她在忙碌的生活中受不了他慢条斯理、瞻前顾后的性格。她太强了,非他所爱;他又太弱,把握不住她。这个结局将是两个人不欢而散。

羊+兔

两人个性相配达到极好的程度。如果让精明、乖巧、很有城府的兔太太来领导,她会帮助羊丈夫以他的天赋取得巨大成功。兔太太对富有情感、有时消极的羊丈夫来说堪称温柔,但当他过分慷慨或悲天悯人时,她也能很果断、理智地提醒或帮助他,她为他提供了良好的工作环境,他也感谢她的指点和把他引上正路之情。彼此的心境都很敏感、关注。这桩婚姻充满了爱和幸福。

羊+龙

这种安排一般还可以。羊丈夫对龙太太的风采和优越个性着迷。她那一方面,也被他的善良、精义和诚恳所吸引。从不利的一面说,羊丈夫胆量太小,不敢尝试龙太太那些雄心勃勃的做法;龙太太则认为羊丈夫太保守,不敢冒险,合不上她的标准。他需要她的激励,但她也会把他逼出忍耐的限度。这个结合需要一个尝试期。

羊+蛇

这桩婚姻不是纯粹的田园诗。但如果双方诚心诚意地努力,事情会妥当的。两人都很务实,对创新和美的事物能够接受,这些方面会维系这种结合。然而,羊丈夫缺少蛇太太的意志力,而她总是守口如瓶,不信任羊丈夫的敏感天性。她很会算计,但他容易激动。他们在一些方面相互责备,另一些方面又相互效仿,蛇太太的果断决定将成为羊丈夫所依赖的珍贵资本。

羊+马

他是家庭型人,很能顾家,给好走动的马太太提供了一个安全后盾。另一方面她很快乐大方,弥补了他的消极心境。他可能是嫉妒、独占的,而她则独立、冲动。但马太太不是很敏感的人,对羊丈夫那种顾影自怜一向不太当真。她有能力,讨人喜欢,善于领会细微的迹象。他驾驭她是通过给她充分选择和诱人的自主权,使她留下来调剂他的生活,是一个有力的,或许是持久的结合。

羊+羊

羊先生十分关心家庭的福利,但在此结合中羊太太最终成为两人中的强者。两人都爱享受,爱依赖别人,但他们的力量结合为一体时就能够成功。他在周围无人可以负责时就会负起责任,而她喜欢做个幕后人物。两人都是好管家,富有同情心,能容忍对方的弱点。他们都注意不袒护或纵容孩子。

羊+猴

彼此没有长久的吸引力。猴太太对羊丈夫来说性格太复杂和自私自利。他的兴趣和活动比较压抑,她的造诣和机智会使他烦乱不安。不过无论他多好脾气和善意,他也无法接受她那些轻率的要求。她聪明、动人,一旦发现了他的弱点就会牵着他走。他有创造性,头脑单纯,有同情心,但这些特点得不到猴太太的赞许,因为她喜欢心中有数的人。

羊+鸡

　　他好心、体贴，对任何事都坚持不懈。她爱探究、分析、操纵别人的生活。他悲观且主观，她乐观且客观。她的活力和无畏态度会把敏感、不事张扬的羊吓坏。他觉得她对他挑剔刻薄，还说三道四。另一方面，她会说和这么一个多愁善感、放任自流的人打交道真困难。他们在基本立场上有很大不同，这使他们不容易忍受彼此的特性。

羊+狗

这种关系是不很协调的,因为狗夫人太实际,不知不觉地总要批评羊丈夫的散漫,数说他的弱点,这使他愈益悲观。她讲道理、很温情,但不总用些必要的小谎话来安抚羊丈夫的肝火。他需要很多同情和支持来促进他积极的方面。他严肃、冷漠,会被她的抱怨和自我欣赏激怒。两人不太相投,因为各自激发的是对方的消极之处。

羊+猪

是深挚的结合,因为没有摩擦。双方都不在乎作出让步,且喜欢把家作为活动的中心。猪太太很合群,不像羊丈夫那样敏感,羊丈夫由于含蓄的天性所在,容易产生戒心。她善为人、会交际,不像他那么好想入非非,因此减少了他的羞怯。另一方面,他能够弥补她缺乏的新意,并迎合他对温暖与合作的热切需求。

鼠+羊

鼠未必愿意与一个精神过敏、不切实际的羊太太共建家庭。而她只是在受到娇宠时才会同意与他结合。精明的鼠丈夫会发现。她太奢侈，无法供给得起。她认为他太精明、太贪婪，不合她的口味。两人不会大吵大嚷，而是将怨恨深深藏在心里，并因此而深感失望。

牛+羊

她能够为他打理一个舒适的家,而他是她的保护者,不过他是兢兢业业、不屈不挠的人,她则多愁善感并且任性。他积蓄,她却挥霍。他强健而果断,她柔弱而不可靠,她喜欢受人庇护,牛丈夫却不体贴,他期待羊太太有良好的训练和自我克制能力,而这一点却难以实现,因而常常变得抑郁寡欢,两人间会出现粗暴的争吵。

虎+羊

他爱好交际,社交广泛复杂而活泼,她勤于家务,神经过敏,依恋性强。因此不能专一地满足她的需要,并觉得她过于依赖别人,没有主见。她基本上是理解他的,但如果发现他敷衍应付,颇不耐烦,对她琐琐碎碎的絮叨反应冷淡的话,她便会沉浸于自我怜惜的情绪之中。在他们缔结婚姻之前,必须学会适应对方才行。

兔+羊

他们可以容忍对方的摇摆不定。兔先生看重羊的同情心和气质;她喜爱他的仁爱、机敏和精明、果断。她的依恋使他更加感到自己的重要,感到自己工作的意义。他能很好地倾听她的话,她所需要的同情、劝慰更甚于行动。他们都浪漫、亲切,将从家庭中享受极大的喜悦和满足。

龙+羊

看来不能互相吸引。若能融洽地相处,双方必须付出艰巨的努力。他喜欢冒险和独立,她却受情绪和感情所支配。她热爱家庭生活,但他却不像她那样专心于家务。她爱哭,他要表现出她所渴望的那种同情和耐心是十分困难的。她习惯以直觉处理事情,他却精明果断。倘若他能努力改变自己并形成习惯,则双方关系有改善的可能。

蛇+羊

仅仅在某种程度上能够相合。精力充沛的蛇丈夫全神贯注于他所选择的目标上,不喜欢羊太太没完没了地依恋他。他现实、讲求实效,是个成功者,而她是多愁善感、温柔驯服的。蛇把大量时间精力投入自己的事业中,羊则任性,遇到挫折便十分沮丧。他非常理智,她却感情用事。一旦遇到什么事,他们便会发现,弥补两人间的裂痕是非常困难的。

马+羊

她娇生惯养、敏感而善良。他乐观、实际,能把幽默感和意志力灌输给她。他能够轻松自如地与温柔的羊太太相处。羊太太富于同情心,只要他能让她高兴,能把被她夸大的难题三下两下地解决好,她就能容忍他的自私自利。他感谢羊太太为他安排的温暖愉快的家,并会发现她出于对他的关切已使生活方式完全适应了他的需要。他们能互相补充,这的确是非常美满幸福的一对。

猴+羊

羊太太爱做家务事,但可能对猴丈夫命令太多。他对她的照料很得意,但仍然觉得她的优点抵不过缺陷。她在一些细微方面配不上长于算计的圆滑猴,后者并不总是对她当真的。她忍受着这场交易中吃的亏,因为他要利用她善良、慷慨的性格。两个人在这个结合里没有相通之处。

鸡+羊

固执的鸡丈夫把充沛的精力放在对工作的精益求精上面。羊太太则是善良、感情用事、有依赖性的。他迁就她那种对人的依靠,但受不了她的顾影自怜和散漫习惯。他更善于处理的是事实而不是她的脆弱感情。她理解他乐观的动力和雄心,但总觉得他冷冰冰的,太会打算,太特殊。她是温文尔雅不易受伤害的,如果他过多或过于严厉地指责她,她便会卷起包裹回娘家去。这场婚姻中两人都缺乏忍耐。

狗+羊

他们可能在兴趣上存在着或强或弱的抵触和冲突,故此种结合,恐怕比起他们单身度日要多一些麻烦。她的多愁善感和难以满足的欲望常激怒丈夫,使善于逻辑思维的丈夫以粗鲁和计较代替了同情和谅解。她得理时,也可变得开朗和无私,在这种情况下,丈夫的暴躁,不通情理,常使她退缩和沮丧。总之,他们之间个性差异过大,难以完全协调。

猪+羊

他们是恩爱、亲密的一对。双方为他们的结合都做出了最大努力,给对方以深沉的爱和真切的关心。丈夫强健、豪爽,给温柔多情的妻子以无微不至的关怀和体贴,使她快乐。妻子则像母亲对孩子一样照顾着丈夫,使他对她更加尊敬和仰慕。他沉浸肉欲,把对她的占有欲看做是真正的爱。他慷慨、有骑士风度。当妻子知道她得到他的爱时,将极力扮演一位贤妻角色。

平安一生

吉祥四季

春 夏 秋 冬

【生于春】吉祥方位：西方、西北方
吉祥颜色：白色、灰色、黄色
吉祥饰品：铜锣、金丝眼镜、金表
吉祥密码：酉、申、巳、丑、庚、辛
吉祥行业：从事与"金"相关的行业

【生于夏】吉祥方位：北方、东北方
吉祥颜色：蓝色、黑色、白色
吉祥饰品：孔子铜像、金链、蓝田玉、金笔
吉祥密码：子、丑、申、辰、亥
吉祥行业：从事与"水"相关的行业

【生于秋】吉祥方位：东方、东南方
吉祥颜色：绿色、黑色
吉祥饰品：木鱼、木佛珠、绿宝石、灵芝、竹板平安、人参王
吉祥密码：甲、乙、寅、卯、亥
吉祥行业：从事与"木"相关的行业

【生于冬】吉祥方位：南方、西南方
吉祥颜色：红色、紫色、黄色
吉祥饰品：红木用品、打火机、太阳画、牡丹花、玩具猫、骏马图
吉祥密码：午、寅、戌、巳、未
吉祥行业：从事与"火"相关的行业

风水博物馆

  阆中风水博物馆是目前国内唯一以建筑风水为主题的人文旅游景点,分为博物、祭祀、吉祥物、风水讲堂、天一茶舍、三才书吧、青年旅舍等七个功能区。风水馆以易·卜为主脉,诠释神秘的中国风水。

  千年风水古城,玄机尽藏馆中。